KB086614

특별
부록

HIGHTOP
▸▸▸ 하이탑 초등 과학

3 학년

복습용

1 과학자는 어떻게 탐구할까요? ~ 2 물질의 성질

개념 동영상

1 과학자는 어떻게 탐구할까요?

관찰	탐구 대상의 특징을 자세히 살펴보는 것
측정	탐구 대상의 길이, 무게 등을 재는 것
예상	앞으로 일어날 수 있는 일을 생각하는 것
분류	공통점과 차이점으로 탐구 대상을 무리 짓는 것
추리	관찰 결과, 과거 경험, 이미 알고 있는 것 등을 바탕으로 무슨 일이 일어났는지 생각하는 것
의사 소통	자신이 탐구한 내용에 대해 다른 사람과 생각이나 정보를 주고받는 것

2 물질의 성질

핵심 개념 1 물체와 물질

(1) 물체와 물질

① 물체: 모양이 있고 공간을 차지하고 있는 것이다.

② 물질: 물체를 만드는 재료이다.

(2) 여러 가지 물질의 성질

금속	광택이 있고, 나무보다 단단하다.
플라 스틱	금속보다 가볍고, 다양한 모양의 물체를 다른 물질보다 쉽게 만들 수 있다.
나무	금속보다 가볍고, 고유한 향과 무늬가 있다.
고무	쉽게 구부러지고, 늘어났다가 다시 돌아오는 성질이 있다.

(3) 물질의 성질과 우리 생활의 이용

① 한 가지 물질로 된 물체의 특징 예

금속 고리	고무줄	플라스틱 바구니
금속	고무	플라스틱
다른 물질로 만들어진 물체보다 튼튼하다.	잘 늘어나고, 다른 물체를 쉽게 묶는다.	가볍고 튼튼하며, 다양한 색깔과 모양으로 만든다.

② 두 가지 이상의 물질로 된 물체의 특징

예 책상

- 상판 **나무** 가볍고 단단하다.
- 몸체 **금속** 잘 부러지지 않고, 튼튼하다.
- 받침 **플라스틱** 바닥이 긁히는 것을 줄인다.

예 자전거

손잡이 체인

- 몸체 **금속** 튼튼하고 큰 힘에도 잘 견딘다.
- 안장 **가죽** 질기고 부드럽다.
- 타이어 **고무** 충격을 잘 흡수하고 탄력이 있다.

(4) 종류가 같은 물체를 다른 물질로 만드는 까닭: 생활 속에서 물체의 기능을 고려하여 상황에 알맞은 것을 골라 사용할 수 있다.

① 여러 가지 컵을 이루고 있는 물질

금속　플라스틱　유리　흙(도자기)　종이

금속 컵	잘 깨지지 않고 튼튼하다.
플라스틱 컵	가볍고 단단하며, 모양과 색깔이 다양하다.
유리컵	무엇이 들어 있는지 쉽게 알 수 있다.
도자기 컵	음식을 오랫동안 따뜻하게 보관한다.
종이컵	싸고 가벼워 손쉽게 사용할 수 있다.

② 여러 가지 장갑을 이루고 있는 물질

비닐(플라스틱)　고무　면(섬유)　가죽

비닐장갑	투명하고 얇으며, 물이 들어오지 않는다.
고무장갑	질기고 미끄러지지 않으며, 물이 들어오지 않는다.
면장갑	부드럽고 따뜻하다.
가죽 장갑	질기고 부드럽고 따뜻하며, 바람이 들어오지 않는다.

핵심 개념 ② 서로 다른 물질을 섞을 때의 변화

(1) 탱탱볼 만들기

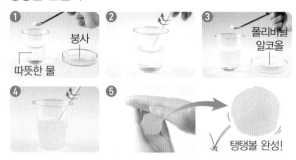

❶ 따뜻한 물이 반쯤 담긴 투명한 플라스틱 컵에 붕사를 두 숟가락 넣는다.

❷ 유리 막대로 저어 준다.

❸ 폴리비닐 알코올을 다섯 숟가락 넣는다.

❹ 유리 막대로 저어 준 뒤에 3분 정도 기다린다.

❺ 엉긴 물질을 꺼내 손으로 주무르면서 공 모양을 만든다.

(2) 물질의 성질

물	투명하고, 만지면 흘러내린다.
붕사	하얀색이고, 광택이 없으며 손으로 만지면 깔깔하다.
폴리비닐 알코올	• 하얀색이고, 붕사보다 알갱이의 크기가 크다. • 광택이 있으며 손으로 만지면 깔깔하다.

(3) 서로 다른 물질을 섞었을 때 나타나는 현상

물 + 붕사	물이 뿌옇게 흐려진다.
물 + 붕사 + 폴리비닐 알코올	• 서로 엉긴다. • 알갱이가 점점 커진다.

(4) 서로 다른 물질을 섞었을 때의 성질 변화: 섞기 전에 각 물질이 가지고 있던 색깔, 손으로 만졌을 때의 느낌 등의 물질의 성질이 변하기도 한다.

핵심 개념 ③ 물질의 성질을 이용해 연필꽂이 설계하기

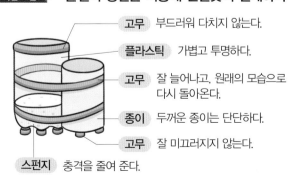

고무 부드러워 다치지 않는다.

플라스틱 가볍고 투명하다.

고무 잘 늘어나고, 원래의 모습으로 다시 돌아온다.

종이 두꺼운 종이는 단단하다.

고무 잘 미끄러지지 않는다.

스펀지 충격을 줄여 준다.

↪ 정답과 해설 22쪽

관련 단원 ▶ 1. 과학자는 어떻게 탐구할까요?

1 탐구 대상의 특징을 자세히 살펴보는 탐구 과정을 무엇이라고 하는지 쓰시오.

(   )

2 탐구 과정에서 측정을 통해 알 수 있는 것을 보기에서 모두 골라 ○표 하시오.

보기

무게,   장소,   길이,   만져 본 느낌

관련 단원 ▶ 2. 물질의 성질

3 다음 (   ) 안에 들어갈 물질에 ○표 하시오.

이 발명품은 가볍고 고유한 향과 무늬가 있는 (   ) 을/를 사용하여 만들었다.

(고무,   나무,   가죽)

4 자전거의 각 부분을 이루는 물질로 알맞은 것끼리 선으로 이으시오.

(1) 몸체 •   • ㉠ 가죽

(2) 안장 •   • ㉡ 금속

(3) 타이어 •   • ㉢ 고무

5 컵에 대해 옳게 말한 사람의 이름을 쓰시오.

• 서준: 종이컵은 싸고 가벼워서 손쉽게 사용할 수 있어.

• 채현: 유리컵은 음료를 오랫동안 따뜻하게 보관할 수 있어.

• 민재: 금속 컵은 투명해서 무엇이 들어 있는지 쉽게 알 수 있어.

(   )

3 동물의 한살이

핵심개념 ① 동물 암수의 생김새와 하는 일

(1) 암수의 구별이 쉬운 동물: 몸의 크기, 생김새, 색깔, 무늬 등이 뚜렷하게 구분된다. 예 사자, 사슴, 꿩

(2) 암수의 구별이 어려운 동물: 몸의 크기, 생김새, 색깔, 무늬 등이 비슷하여 차이가 없다. 예 무당벌레, 참새

(3) 알이나 새끼를 돌볼 때 동물의 암수가 하는 일: 알이나 새끼가 태어나면 어떤 동물은 암수가 함께 돌보고, 어떤 동물은 암컷이나 수컷 혼자서 돌본다.

핵심개념 ② 배추흰나비 한살이 관찰 계획

(1) 동물의 한살이: 동물이 태어나서 성장하여 자손을 남기는 과정이다.

(2) 배추흰나비를 기르면서 관찰할 내용: 배추흰나비알, 애벌레, 번데기, 어른벌레의 생김새와 크기, 움직임, 먹이를 먹는 모습 등을 관찰한다.

핵심개념 ③ 배추흰나비알과 애벌레의 특징

(1) 배추흰나비알

생김새	길쭉한 옥수수 모양이고, 연한 노란색이다.
움직임	움직이지 않는다.
크기 변화	1 mm 정도로 작으며 자라지 않는다.

(2) 배추흰나비알에서 애벌레가 나오는 모습

① 알에서 갓 나온 애벌레는 몸이 연한 노란색이다.

② 알껍데기에 영양분이 풍부하기 때문에 애벌레는 알에서 나오자마자 자신이 나온 알껍데기를 갉아 먹는다.

(3) 배추흰나비 애벌레

생김새	• 털이 있고 긴 원통 모양이며, 초록색이다. • 머리, 가슴, 배 세 부분으로 구분된다.
움직임	자유롭게 기어서 움직인다.
크기 변화	허물을 벗으며 점점 자란다.

핵심개념 ④ 배추흰나비 번데기와 어른벌레의 특징

(1) 번데기로 변하는 과정: 4번 허물을 벗은 애벌레는 15~20일이 지나면 먹는 것을 중단하고 몸의 색깔이 맑아지며, 번데기로 변하기 위하여 안전한 곳을 찾는다.

| 실을 뽑아 몸을 묶는다. | 허물을 벗는다. | 번데기 모습이 된다. | 색깔이 주변과 비슷하다. |

(2) 배추흰나비 번데기

생김새	• 마디가 있고 가운데가 볼록하며, 양쪽 끝은 뾰족하다. • 주변의 색깔과 비슷하다.
움직임	움직이지 않는다.
크기 변화	크기가 변하지 않고 자라지 않는다.

(3) 날개돋이: 번데기에서 날개가 있는 어른벌레가 나오는 과정이다.

(4) 배추흰나비 어른벌레

생김새	• 몸은 머리, 가슴, 배 세 부분으로 구분된다. • 가슴에 세 쌍의 다리, 두 쌍의 날개가 있다. • 배는 마디가 있고 길쭉하다. 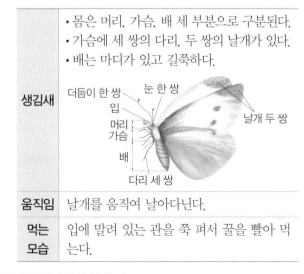
움직임	날개를 움직여 날아다닌다.
먹는 모습	입에 말려 있는 관을 쭉 펴서 꿀을 빨아 먹는다.

(5) 배추흰나비의 한살이

① 알 → 애벌레 → 번데기 → 어른벌레의 단계를 거친다.

② 다 자란 배추흰나비는 암컷이 알을 낳을 수 있다.

정답과 해설 **22**쪽

핵심 개념 5 여러 가지 곤충의 한살이

(1) 완전 탈바꿈: 알 → 애벌레 → 번데기 → 어른벌레 단계로, 번데기 단계가 있다. ⑩ 나비, 벌, 개미

(2) 불완전 탈바꿈: 알 → 애벌레 → 어른벌레 단계로, 번데기 단계가 없다. ⑩ 잠자리, 사마귀, 메뚜기

핵심 개념 6 알을 낳는 동물의 한살이

(1) 닭의 한살이

알	단단한 껍데기에 싸여 있다.
병아리	솜털로 덮여 있다.
큰 병아리	솜털이 깃털로 바뀐다.
다 자란 닭	암컷이 알을 낳을 수 있다.

(2) 알을 낳는 동물의 특징

① 땅 위나 땅속에 알을 낳는 동물도 있고, 물에 알을 낳는 동물도 있다.

② 동물에 따라 알의 수, 크기, 모양 등이 다르다.

③ 새끼 중 암컷은 다 자라면 알을 낳을 수 있다.

핵심 개념 7 새끼를 낳는 동물의 한살이

(1) 개의 한살이

갓 태어난 강아지	눈이 감겨 있고 귀도 막혀 있으며 걷지 못한다. 어미젖을 먹으며 자란다.
큰 강아지	이빨이 나고 먹이를 씹어 먹기 시작한다.
다 자란 개	짝짓기를 하여 암컷이 새끼를 낳는다.

(2) 새끼를 낳는 동물의 특징

① 젖을 먹여 새끼를 기르며, 새끼와 어미의 모습이 닮았다.

② 몸이 털이나 가죽으로 덮여 있다.

③ 암수가 만나 짝짓기를 하고 암컷이 새끼를 낳는다.

④ 다 자랄 때까지 어미의 보살핌을 받는다.

1 배추흰나비 애벌레에 대한 설명으로 옳지 <u>않은</u> 것은 어느 것입니까? (　　　)

① 털이 있다.
② 긴 원통 모양이다.
③ 크기가 변하지 않는다.
④ 자유롭게 기어서 움직인다.
⑤ 몸이 세 부분으로 구분된다.

2 다음은 배추흰나비에 대한 설명입니다. (　　) 안에 들어갈 알맞은 말이나 수를 쓰시오.

배추흰나비 어른벌레는 몸이 머리, (㉠), 배 세 부분으로 구분되고, (㉠)에 (㉡) 쌍의 다리와 (㉢) 쌍의 날개가 있다.

㉠ (　　　　　　　　), ㉡ (　　　　　　　　)
㉢ (　　　　　　　　)

3 한살이 과정 중 번데기 단계를 거치는 곤충을 보기에서 모두 골라 ○표 하시오.

보기
벌, 개미, 잠자리, 메뚜기, 사슴벌레

4 닭의 한살이에 대해 옳게 말한 사람의 이름을 쓰시오.

• 준민: 병아리는 깃털이 빽빽하게 나 있어.
• 은아: 다 자란 닭은 몸이 깃털로 덮여 있어.
• 한주: 알은 껍데기없이 얇은 막에 싸여 있어.

(　　　　　　　　　　)

5 새끼를 낳는 동물의 특징으로 옳은 것에 ○표 하시오.

(1) 젖을 먹여 새끼를 기른다.　　　(　　　)
(2) 몸이 짧은 깃털로 덮여 있다.　　(　　　)
(3) 새끼와 어미의 모습이 많이 다르다. (　　　)

③ 학년 1학기

4 자석의 이용

핵심개념 ① 자석에서 클립이 많이 붙는 부분

(1) **자석에 붙는 물체와 자석에 붙지 않는 물체**

자석에 붙는 물체	클립, 철 못, 누름 못, 철사 등
자석에 붙지 않는 물체	연필, 동전, 유리컵, 칫솔 등

➡ 자석에 붙는 물체는 철로 만들어졌다.

(2) **자석에서 클립이 많이 붙는 부분**: 막대자석의 왼쪽 끝부분과 오른쪽 끝부분, 동전 모양 자석의 양쪽 둥근 면에 클립이 많이 붙는다. ➡ 클립을 세게 끌어당기기 때문이다.

막대자석

동전 모양 자석

(3) **자석과 철로 된 물체 사이에 작용하는 힘**

① 자석과 철로 된 물체 사이에 서로 끌어당기는 힘이 작용한다.

② 철로 된 물체와 자석 사이에 얇은 플라스틱, 종이 등의 물질이 있어도 자석은 철로 된 물체를 끌어당긴다.

핵심개념 ② 자석의 극

자석의 극	• 자석에서 클립이 많이 붙는 부분이다. • 클립을 끌어당기는 힘이 세다.
극의 위치	막대자석, 둥근기둥 모양 자석, 말굽자석의 극은 양쪽 끝부분에 있다. 동전 모양 자석의 극은 양쪽 둥근 면이다. ▲ 막대자석 ▲ 말굽자석 ▲ 동전 모양 자석
극의 개수	자석의 극은 항상 두 개이다.
극의 종류	• N극: 북쪽을 가리키며, 주로 빨간색으로 표시한다. • S극: 남쪽을 가리키며, 주로 파란색으로 표시한다.

핵심개념 ③ 자석이 가리키는 방향

(1) **물에 띄운 자석이 가리키는 방향**: 막대자석을 올린 플라스틱 접시를 물에 띄우면 막대자석의 N극이 북쪽, S극이 남쪽을 가리킨다. 물에 띄운 막대자석은 항상 북쪽과 남쪽을 가리킨다.

▲ 막대자석을 물에 띄운 직후   ▲ 막대자석이 멈췄을 때

(2) **나침반**: 자석을 물에 띄우거나 공중에 매달았을 때 항상 북쪽과 남쪽을 가리키는 성질을 이용한다.

① 나침반 바늘이 가리키는 방향: 자석인 나침반 바늘도 항상 북쪽과 남쪽을 가리킨다.

② 나침반 만들기: 막대자석에 붙여 놓았던 철로 된 물체도 자석의 성질을 띠게 되기 때문에 나침반 바늘과 같이 북쪽과 남쪽을 가리킨다.

핵심개념 ④ 자석을 다른 자석에 가까이 가져가기

(1) **자석의 극끼리 작용하는 힘**: 자석은 같은 극끼리는 서로 밀어 내고, 다른 극끼리는 서로 끌어당긴다.

같은 극끼리 마주 볼 때	다른 극끼리 마주 볼 때
S N N S	S N S N
밀어 내는 느낌이 든다.	끌어당기는 느낌이 든다.

(2) **고리 자석으로 탑 쌓기**: 같은 극끼리 서로 밀어 내는 성질을 이용하여 탑을 가장 높게 쌓고, 다른 극끼리 서로 끌어당기는 성질을 이용하여 탑을 가장 낮게 쌓는다.

▲ 가장 높은 탑

▲ 가장 낮은 탑

정답과 해설 22쪽

핵심개념 5 나침반 바늘의 움직임

(1) 나침반에 막대자석을 가져갈 때 나침반 바늘의 움직임

막대자석의 N극을 가까이 가져가기	막대자석의 N극을 멀어지게 하기

나침반 바늘의 S극이 막대자석에 끌려온다.	나침반 바늘이 원래 가리키던 방향으로 돌아간다.
막대자석의 S극을 가까이 가져가기	막대자석의 S극을 멀어지게 하기
나침반 바늘의 N극이 막대자석에 끌려온다.	나침반 바늘이 원래 가리키던 방향으로 돌아간다.

(2) 나침반을 자석 주위에 놓았을 때 나침반 바늘의 움직임

① 나침반 바늘의 N극: 자석의 S극을 가리킨다.
② 나침반 바늘의 S극: 자석의 N극을 가리킨다.

핵심개념 6 자석을 이용한 생활용품

(1) 자석을 이용한 생활용품

자석 클립 통	가방 자석 단추
통이 뒤집어져도 클립이 잘 흩어지지 않는다.	가방을 쉽게 열고 닫을 수 있다.

(2) 자석을 이용한 장난감에 이용되는 자석의 성질

자석 낚시	자석 피에로	자석으로 가는 자동차
자석이 철로 된 물체를 끌어당기는 성질을 이용한다.	자석의 다른 극끼리 끌어당기고 같은 극끼리 밀어내는 성질을 이용한다.	

1 자석과 철로 된 물체 사이에 작용하는 힘에 대한 설명으로 옳은 것을 보기에서 골라 기호를 쓰시오.

보기
㉠ 서로 끌어당기는 힘이 작용한다.
㉡ 자석이 철로 된 물체를 끌어당기고, 철로 된 물체는 자석을 밀어 낸다.
㉢ 자석과 철로 된 물체 사이에 종이가 있으면 자석이 철로 된 물체를 끌어당기지 못한다.

(   )

2 플라스틱 접시에 올려 물에 띄운 막대자석은 어느 방향을 가리키며 멈추는지 쓰시오.

(   )

3 다음과 같이 막대자석 두 개를 마주 보게 하여 가까이 가져갈 때 서로 밀어 내는 경우에 ○표 하시오.

(1)  (   )

(2) (   )

4 나침반의 오른쪽에서 막대자석의 S극을 가까이 가져갔을 때 ㉠과 ㉡ 중 나침반 바늘의 움직임으로 옳은 것의 기호를 쓰시오.

(   )

5 막대자석 주위에 나침반을 놓았을 때 나침반 바늘의 모습으로 옳지 <u>않은</u> 것의 기호를 쓰시오.

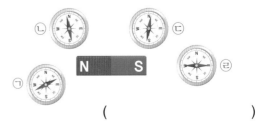

(   )

5 지구의 모습

핵심 개념 1 지구 표면의 모습

(1) **우리나라에서 볼 수 있는 모습**: 산, 들, 강, 계곡, 호수, 갯벌, 바다 등 여러 모습을 볼 수 있다.

(2) **세계 여러 곳에서 볼 수 있는 모습**: 사막, 빙하, 화산 등도 지구 표면의 또 다른 모습이다.

핵심 개념 2 육지와 바다의 특징

(1) **육지와 바다의 넓이 비교**: 바다는 육지보다 더 넓다. 바닷속에도 육지처럼 다양한 모습이 있다.

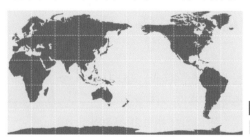

지도의 전체 칸 수	육지 칸의 수	바다 칸의 수
50칸	14칸	36칸

(2) **육지의 물맛과 바닷물 맛 비교**

① 바닷물에는 짠맛이 나는 소금 등 여러 가지 물질이 많이 녹아 있기 때문에 바닷물은 육지의 물보다 짜지만, 육지의 물은 짜지 않다.

② 바닷물은 사람이 마시기에 적당하지 않다.

(3) **육지와 바다의 다른 점**

① 육지와 바다에 사는 생물이 다르다.

② 바닷물이 육지의 물보다 훨씬 많다.

핵심 개념 3 지구 주위를 둘러싼 공기의 역할

(1) **공기**: 지구를 둘러싸고 있으며, 눈에 보이지는 않지만 여러 가지 방법으로 느낄 수 있다.

(2) **공기 느껴 보기**

① 부채질을 하면 시원하다.

② 비눗방울과 풍선을 불어 본다.

③ 선풍기에서 나오는 바람을 느낄 수 있다.

④ 공기가 담긴 지퍼 백을 손으로 누르면 살짝 들어가고 말랑말랑한 느낌이 든다.

▲ 비눗방울 불기　　▲ 선풍기 바람　　▲ 공기가 담긴 지퍼 백

(3) **공기의 역할**

① 생물이 숨을 쉬고 살 수 있도록 해 준다.

② 태양 빛 중에서 사람의 몸에 해로운 것을 막아 준다.

③ 지구의 온도를 일정하게 유지시켜 준다.

(4) **공기를 이용하는 다양한 방법**

① 열기구나 비행기가 날 수 있다.

② 풍력 발전소에서 전기를 만들 수 있다.

③ 연날리기, 요트, 튜브 타기 등에 이용한다.

(5) **공기가 없을 때 일어날 수 있는 일**

① 바람이 불지 않을 것이다.

② 구름이 없고 비가 오지 않을 것이다.

③ 숨을 쉴 수 없어 생물이 살아갈 수 없다.

핵심 개념 ④ **지구의 모양과 달의 모습**

(1) **지구의 모양**

① 지구는 둥근 공 모양이다.

② 마젤란 탐험대가 배로 세계 일주를 할 수 있었던 것은 지구가 둥글기 때문이다.

③ 둥근 지구가 우리에게 편평하게 보이는 까닭은 사람의 크기에 비해 지구가 매우 크기 때문이다.

(2) **달의 모습**

① 달은 둥근 공 모양이다.

② 표면에 돌과 크고 작은 구덩이가 많다.

③ 매끈매끈한 면도 있고 울퉁불퉁한 면도 있다.

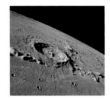
▲ 충돌 구덩이

④ 회색빛이며, 밝은 부분과 어두운 부분이 있다.

핵심 개념 ⑤ **지구와 달의 차이점**

지구		달	
지구의 바다	지구의 하늘	달의 바다	달의 하늘
• 바다에 물이 있고, 파랗게 보인다.		• 바다에 물이 없고, 어둡게 보인다.	
• 지구에서 본 하늘은 파란색이다.		• 달에서 본 하늘은 검은색이다.	
• 생물이 살고 있다.		• 생물이 없다.	

① 지구에는 물과 공기가 있어서 생물이 살 수 있다.

② 지구는 생물이 살기에 알맞은 온도를 유지하고 있다.

1 육지와 바다에 대한 설명으로 옳지 <u>않은</u> 것을 보기에서 골라 기호를 쓰시오.

> 보기
> ㉠ 바다는 육지보다 넓다.
> ㉡ 바닷물은 육지의 물보다 짜다.
> ㉢ 바다에는 생물이 살지 않는다.

( )

2 지구에 공기가 없다면 어떤 일이 일어날지 옳은 것에 ○표 하시오.

(1) 식물은 살 수 있을 것이다. ( )

(2) 구름이 생기지 않을 것이다. ( )

3 마젤란 탐험대가 한 방향으로 계속 항해하여 출발한 곳으로 다시 돌아올 수 있었던 까닭을 옳게 말한 사람의 이름을 쓰시오.

> • 준석: 지구는 둥글기 때문이야.
> • 지은: 지구가 매우 크기 때문이야.
> • 민아: 지구에는 공기가 있기 때문이야.

( )

4 다음 달의 각 부분을 무엇이라고 하는지 쓰시오.

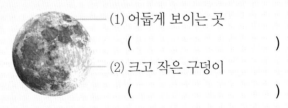

(1) 어둡게 보이는 곳
( )

(2) 크고 작은 구덩이
( )

5 달에 생물이 살 수 <u>없는</u> 까닭을 두 가지 고르시오.
( )

① 돌이 없기 때문이다.

② 단단한 땅이 없기 때문이다.

③ 물과 공기가 없기 때문이다.

④ 온도가 알맞지 않기 때문이다.

⑤ 표면이 울퉁불퉁하기 때문이다.

비주얼 **사이언스**

4쪽 참고 **자라는 과정**

생물이 자라는 과정은 세포 수를 늘리는 것이다. 개는 강아지보다 더 많은 세포로 이루어져 있다. 세포 안에는 부모에게서 받은 다양한 정보가 들어있어서 자식에게 전달된다.

DNA

6쪽 참고 **자기 부상 열차**

자기 부상 열차는 전기로 발생된 자기력으로 레일에서 낮은 높이로 열차를 띄워 바퀴를 사용하지 않고 직접 차량을 추진시켜 달리는 열차이다. 바퀴가 없으므로 마찰에 의한 저항이 거의 없어 작은 동력으로도 높은 속도를 얻을 수 있다.

세포

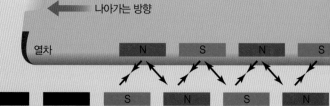

나아가는 방향

열차　N　S　N　S

선로　S　N　S　N

6쪽 참고
자기력과 자기장

자석과 자석 또는 자석에 붙는 물체와 자석 사이에 작용하는 힘을 자기력이라고 한다. 자석 주위에 자기력이 작용하는 공간을 자기장이라고 하며, 자기력선을 이용하여 나타낼 수 있다.

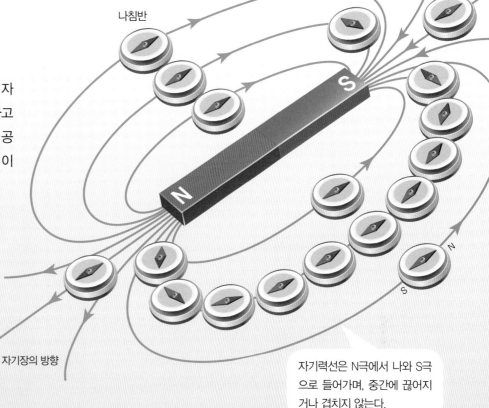

나침반

자기장의 방향

자기력선은 N극에서 나와 S극으로 들어가며, 중간에 끊어지거나 겹치지 않는다.

8쪽 참고
지구의 구성

둥근 모양의 지구 안에는 생명체가 살아가기 위한 좋은 조건을 갖춘 거대한 시스템을 이루고 있다. 이를 지구 시스템이라고 한다.

외권
태양, 달, 은하 등을 모두 포함하는 우주 공간

기권
지구를 둘러싸고 있는 대기가 있는 부분

생물권
지구에 사는 모든 생명체

수권
강과 호수, 바다, 빙하, 지하수 등 지구에 있는 물

지권
지구의 겉 부분과 지구 내부를 모두 포함하는 부분

1 재미있는 나의 탐구 ~ 2 동물의 생활

1 재미있는 나의 탐구

탐구 문제 정하기

수업 시간에 배운 내용과 우리 생활에서 관찰한 것 중에서 궁금했던 것을 한 가지 골라 탐구 문제로 정한다.

탐구 계획 세우기

탐구 문제를 해결할 방법, 탐구 순서, 필요한 준비물, 예상되는 결과를 정리하여 탐구 계획을 세운다.

탐구 실행하기

탐구 계획에 따라 탐구를 실행하면서 나타나는 결과를 사실대로 빠짐없이 기록하고, 탐구 결과를 바탕으로 탐구를 하여 알게 된 것을 정리한다.

탐구 결과 발표하기

탐구 결과를 정리하여 발표 자료를 만들어 발표한다. 발표 자료는 다른 사람들이 이해하기 쉽게 만드는 것이 좋다.

2 동물의 생활

핵심 개념 1 주변에서 사는 동물

(1) 우리 주변에 살고 있는 동물

개 　고양이 　공벌레 　개미

꿀벌 　잠자리 　까치 　참새

(2) 분류 기준에 따라 동물 분류하기 예

분류 기준: 날개가 있는가?	
그렇다.	그렇지 않다.
비둘기, 참새, 잠자리, 꿀벌, 메뚜기, 사슴벌레, 소금쟁이	공벌레, 거미, 달팽이, 개구리, 다람쥐, 금붕어, 송사리, 고양이, 뱀, 토끼

핵심 개념 2 생활 환경에 따른 동물의 특징

(1) **땅에서 사는 동물**: 다리가 있는 동물은 걷거나 뛰어 다니고, 다리가 없는 동물은 기어 다닌다.

사는 곳	동물	특징
땅 위	다람쥐	• 다리 두 쌍으로 걷거나 뛰어 다닌다. • 갈색 줄무늬가 있다.
땅 위	너구리	• 다리 두 쌍으로 걷거나 뛰어 다닌다. • 주둥이가 뾰족하다.
땅속	두더지	• 삽처럼 생긴 앞다리로 땅속에 굴을 판다. • 몸이 털로 덮여 있다.
땅속	지렁이	• 땅속을 기어 다닌다. • 몸이 길고 원통 모양이다. • 고리 모양의 마디가 있다.
땅 위와 땅속	뱀	• 몸통이 가늘고 길며, 배를 땅에 대고 기어 다닌다. • 혀로 냄새를 맡는다.

(2) **사막에서 사는 동물**

① 사막의 환경: 낮에는 매우 덥고, 물과 먹이가 부족하며, 모래바람이 심하게 분다.

② 사막에서 사는 동물의 특징

낙타 　사막여우

낙타	• 등의 혹에 지방이 있어서 먹이가 없어도 며칠 동안 생활할 수 있다. • 발이 넓어 모래에 발이 잘 빠지지 않는다.
사막여우	• 몸에 비해 귀가 커서 체온 조절을 하며, 작은 소리도 잘 들을 수 있다. • 귓속에 털이 많아 모래바람이 불어도 귓속으로 모래가 잘 들어가지 않는다.

(3) 물에서 사는 동물

① 물에서 사는 동물의 특징

사는 곳	동물	특징
강가나 호숫가	개구리	땅에서는 폴짝폴짝 뛰어다니고, 물속에서는 뒷다리에 물갈퀴가 있어 헤엄을 잘 칠 수 있다.
강이나 호수의 물속	붕어	• 지느러미로 헤엄치고, 몸이 곡선 형태이다. • 아가미로 숨을 쉰다.
갯벌	조개	• 흙 속에서 기어 다니고, 딱딱한 껍데기가 있다. • 아가미로 숨을 쉰다.
바닷속	고등어	• 지느러미로 헤엄치고, 몸이 곡선 형태이다. • 아가미로 숨을 쉰다.

② 물고기가 물속에서 생활하기에 알맞은 점: 아가미가 있어서 물속에서 숨을 쉴 수 있으며, 지느러미가 있고 몸이 부드러운 곡선 형태라 헤엄을 잘 칠 수 있다.

(4) 날아다니는 동물

① 날아다니는 동물의 특징

종류	동물	특징
새	까치	• 몸이 검은색과 하얀색 깃털로 덮여 있다. • 날개가 있다.
곤충	나비	• 날개 두 쌍이 있고, 앉을 때 날개를 붙여서 접는다. • 날개가 젖지 않는다.

② 날아다니는 동물이 잘 날 수 있는 특징: 날개가 있고, 몸이 비교적 가볍다.

핵심 개념 ③ 생활에서 동물의 특징을 활용한 예

칫솔걸이	문어 빨판의 잘 붙는 특징을 활용한 칫솔걸이는 거울이나 유리에 붙여 사용한다.
물갈퀴	오리의 발 모양을 활용한 물갈퀴는 물속에서 헤엄을 잘 칠 수 있게 도와준다.
집게 차	수리의 발가락이 먹이를 잘 잡고 놓치지 않는 특징을 활용한 집게 차는 쓰레기를 잡아 원하는 곳으로 옮긴다.

관련 단원 ▶ 1. 재미있는 나의 탐구

1 다음 중 탐구 문제를 정하는 방법으로 알맞은 것에 ○표 하시오.

(1) 인터넷과 책에서 쉽게 답을 찾을 수 있는 문제로 정한다.　　　　　(　　　)

(2) 우리 생활에서 관찰한 것 중에서 궁금한 것 한 가지를 정한다.　　　　(　　　)

2 다음은 탐구 과정의 순서입니다. (　　) 안에 들어갈 알맞은 말을 쓰시오.

> 탐구 문제 정하기 → (　㉠　) 세우기 → 탐구 실행하기 → (　㉡　) 발표하기

㉠ (　　　　　　), ㉡ (　　　　　)

관련 단원 ▶ 2. 동물의 생활

3 다음 (　　) 안에 들어갈 알맞은 말을 쓰시오.

> 낙타는 등의 혹에 (　　　)　 이/가 있어서 먹이가 없어도 며칠 동안 생활할 수 있기 때문에 사막에서 잘 살 수 있다.

(　　　　　　　　)

4 다음 중 물고기가 물속에서 생활하기에 알맞은 점을 두 가지 골라 기호를 쓰시오.

> ㉠ 아가미로 숨을 쉰다.
 ㉡ 지느러미로 헤엄친다.
 ㉢ 물갈퀴가 있어 헤엄을 잘 친다.

(　　　　　　　　)

5 날아다니는 동물 중 다음 설명에 해당하는 동물을 보기에서 모두 골라 ○표 하시오.

> 몸이 깃털로 덮여 있고, 한 쌍의 다리가 있다.

> **보기**　까치, 나비, 매미, 참새, 잠자리

3 지표의 변화

핵심개념 1 흙이 만들어지는 과정

(1) **흙이 만들어지는 과정 실험:** 얼음 설탕 여러 개를 플라스틱 통에 넣고 흔들면 알갱이의 크기가 작아지고 가루가 생긴다.

플라스틱 통을 흔들기 전	플라스틱 통을 흔든 뒤

(2) **자연에서 흙이 만들어지는 과정:** 바위나 돌이 오랜 시간에 걸쳐 작게 부서진 알갱이와 생물이 썩어 생긴 물질들이 섞여서 흙이 된다.

바위와 돌 / 흙

핵심개념 2 운동장 흙과 화단 흙

(1) **운동장 흙과 화단 흙 관찰하기**

구분	운동장 흙	화단 흙
모습		
색깔	밝은 갈색이다.	어두운 갈색이다.
알갱이의 크기	비교적 크다.	큰 것도 있고 작은 것도 있다.
촉감	거칠다.	약간 부드럽다.
기타	주로 모래나 흙 알갱이만 보인다.	식물의 뿌리나 나뭇잎 조각이 섞여 있다.

(2) **운동장 흙과 화단 흙의 물 빠짐 비교:** 화단 흙보다 운동장 흙에서 물이 더 빠르게 빠진다. → 운동장 흙은 화단 흙보다 알갱이의 크기가 더 크기 때문이다.

핵심개념 3 식물이 잘 자라는 흙의 특징

(1) **운동장 흙과 화단 흙의 물에 뜬 물질 비교하기**

① 화단 흙에는 운동장 흙보다 물에 뜨는 물질이 더 많이 섞여 있고, 물에 뜨는 물질은 대부분 부식물이다.

② 부식물은 식물의 뿌리나 죽은 곤충, 나뭇잎 조각 등이 썩은 것으로, 식물이 잘 자라는 데 도움을 준다.

물에 뜬 물질이 거의 없다.
▲ 운동장 흙

물에 뜬 물질이 많다.
▲ 화단 흙

(2) **식물이 잘 자라는 흙의 특징:** 운동장 흙보다 부식물이 더 많은 화단 흙에서 식물이 잘 자란다.

핵심개념 4 흐르는 물에 의한 지표의 변화

(1) **지표:** 땅의 표면을 지표라고 하며, 비가 내린 뒤 산의 경사진 곳에서 흙이 깎이거나 쌓인 곳을 볼 수 있다.

(2) **흐르는 물에 의한 흙 언덕의 모습 변화**

① 탐구 과정: 흙 언덕을 만들어 위쪽에 색 모래를 뿌린 뒤 물을 흘려보낸다.

색 모래 / 물

② 탐구 결과

위쪽 / 아래쪽

- 흙이 깎인다.
- 경사가 급하다.
- 침식 작용이 일어난다.

- 위쪽의 깎인 흙이 쌓인다.
- 경사가 완만하다.
- 퇴적 작용이 일어난다.

(3) **흐르는 물의 작용:** 흐르는 물은 바위나 돌, 흙 등을 깎아 낮은 곳으로 운반하여 쌓아 놓는다.

침식 작용	지표의 바위나 돌, 흙 등이 깎이는 것
퇴적 작용	운반된 돌이나 흙이 쌓이는 것

핵심개념 5 강 주변의 모습

(1) **강 상류의 모습:** 강폭이 좁고 강의 경사가 급하다. 계곡이나 산을 많이 볼 수 있으며, 바위나 큰 돌이 많다.

▲ 강 상류의 모습

▲ 바위나 큰 돌

(2) **강 하류의 모습:** 강폭이 넓고 강의 경사가 완만하다. 넓은 평야나 들을 볼 수 있으며, 모래나 흙이 쌓여 있다.

▲ 강 하류의 모습

▲ 모래

(3) **강 주변의 지형과 흐르는 물의 작용:** 강 상류에서는 침식 작용이 퇴적 작용보다 활발하게 일어나고, 강 하류에서는 퇴적 작용이 침식 작용보다 활발하게 일어난다.

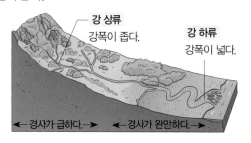

강 상류
강폭이 좁다.

강 하류
강폭이 넓다.

←경사가 급하다.→ ←경사가 완만하다.→

핵심개념 6 바닷가 주변의 모습

(1) 바닷물의 침식 작용으로 만들어진 지형

▲ 구멍이 뚫린 바위

▲ 해안가의 가파른 절벽

(2) 바닷물의 퇴적 작용으로 만들어진 지형

▲ 모래 해변

▲ 갯벌

1 다음 ( ) 안에 들어갈 알맞은 말을 쓰시오.

> 바위나 돌이 오랜 시간에 걸쳐 작게 부서진 알갱이와 생물이 썩어 생긴 물질들이 섞여서 ( )이/가 된다.

( )

2 운동장 흙과 화단 흙을 옳게 비교한 사람의 이름을 쓰시오.

> • 진영: 운동장 흙은 화단 흙보다 색깔이 어두워.
> • 대한: 운동장 흙은 촉감이 거칠고, 화단 흙은 약간 부드러워.
> • 예린: 운동장 흙은 물이 잘 빠지지 않고, 화단 흙은 물이 잘 빠져.

( )

3 흙 속에 있는 물질 중 식물의 뿌리나 죽은 곤충, 나뭇잎 조각 등이 썩은 것으로, 식물이 잘 자라는 데 도움을 주는 것을 무엇이라고 하는지 쓰시오.

( )

4 오른쪽과 같이 흙 언덕을 만들어 물을 흘려보냈을 때 침식 작용이 가장 활발하게 일어난 곳을 골라 기호를 쓰시오.

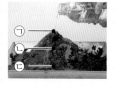

( )

5 다음 중 강의 상류에 대한 설명에는 '상류', 강의 하류에 대한 설명에는 '하류'라고 쓰시오.

(1) 강폭이 좁다. ( )

(2) 강의 경사가 완만하다. ( )

(3) 침식 작용이 활발하게 일어난다. ( )

(4) 퇴적 작용이 활발하게 일어난다. ( )

4 물질의 상태

핵심 개념 1 나무 막대, 물, 공기 비교하기

(1) 나무 막대, 물, 공기를 손으로 전달해 보기

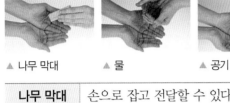

▲ 나무 막대 ▲ 물 ▲ 공기

나무 막대	손으로 잡고 전달할 수 있다.
물	흘러서 전달하기 어렵다.
공기	눈에 보이지 않고 손에 잡히지 않아 전달한 것인지 알 수 없다.

(2) 나무 막대, 물, 공기의 차이점

나무 막대와 물의 차이점	나무 막대는 손으로 잡을 수 있지만, 물은 흘러서 손으로 잡을 수 없다.
물과 공기의 차이점	물은 만질 수 있고 눈에 보이지만, 공기는 눈에 보이지 않고 전달하는 느낌이 나지 않는다.
나무 막대와 공기의 차이점	나무 막대는 손으로 잡을 수 있지만, 공기는 눈에 보이지 않고 손으로 잡을 수 없다.

핵심 개념 2 고체 알아보기

(1) 나무 막대와 플라스틱 막대의 공통점

① 눈으로 볼 수 있다.

② 손으로 잡을 수 있고, 비교적 단단하다.

③ 여러 가지 모양의 그릇에 넣었을 때 막대의 모양이나 크기가 변하지 않는다.

▲ 여러 가지 모양의 그릇에 담긴 나무 막대

(2) 고체: 나무 막대를 이루는 물질과 같이 담는 그릇이 바뀌어도 모양과 부피가 일정한 물질의 상태이다. 예 책상, 가위, 유리구슬, 책

핵심 개념 3 액체 알아보기

(1) 물과 주스의 공통점

① 눈에 보인다.

② 흐르고, 손으로 잡을 수 없다.

③ 담는 그릇에 따라 모양이 변한다.

④ 담는 그릇이 달라져도 부피는 변하지 않는다.

▲ 물을 여러 가지 모양의 투명한 그릇에 차례대로 옮겨 담으면 담는 그릇의 모양에 따라 물의 모양이 변하고, 처음 사용한 그릇으로 다시 옮기면 물의 높이가 처음과 같아진다.

(2) 액체: 물과 같이 담는 그릇에 따라 모양은 변하지만 부피는 변하지 않는 물질의 상태이다. 예 우유, 간장, 사이다, 식초, 바닷물

핵심 개념 4 공기 알아보기

(1) 공기가 있는 것을 알 수 있는 방법

① 부풀린 풍선에 얼굴을 대 보면 풍선 속에 있던 공기가 빠져나오면서 머리카락이 날린다.

② 플라스틱병을 물속에 넣고 손으로 누르면 플라스틱병 입구에서 공기 방울이 생겨 위로 올라와 사라진다.

③ 주사기 끝을 물속에 넣고 피스톤을 밀면 주사기 끝에서 공기 방울이 생겨 위로 올라와 사라진다.

① ② 플라스틱병 / 공기 방울 ③ 주사기 / 공기 방울

(2) 우리 주변에 공기가 들어 있는 물체: 부푼 풍선, 자동차 타이어, 축구공, 공기베개, 튜브, 구명조끼 등

▲ 축구공 ▲ 공기베개 ▲ 튜브

핵심개념 5 공기의 성질

(1) **공기가 공간을 차지하는지 알아보기**: 바닥에 구멍이 뚫리지 않은 플라스틱 컵과 구멍이 뚫린 플라스틱 컵을 뒤집어 물 위에 띄운 페트병 뚜껑을 덮은 뒤 수조 바닥까지 밀어 넣어 나타나는 변화를 관찰한다.

 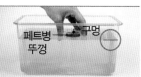

페트병 뚜껑이 내려가고, 수조 안 물의 높이가 조금 높아진다.	페트병 뚜껑이 그대로 있고, 수조 안 물의 높이에 변화가 없다.

➡ 공기는 공간(부피)을 차지한다.

(2) **공기 옮겨 보기**: 피스톤을 당겨 놓은 주사기와 코끼리 나팔을 끼운 비닐관을 연결한 뒤, 피스톤을 밀거나 당기면서 나타나는 변화를 관찰한다.

피스톤을 밀 때	피스톤을 당길 때
공기의 이동	공기의 이동
주사기와 비닐관 안의 공기가 코끼리 나팔로 이동하기 때문에 코끼리 나팔이 펼쳐진다.	코끼리 나팔과 비닐관 안의 공기가 주사기로 이동하기 때문에 코끼리 나팔이 돌돌 말린다.

➡ 공기는 다른 곳으로 이동할 수 있다.

(3) **기체**: 공기처럼 담는 그릇에 따라 모양과 부피가 변하고 담긴 그릇을 항상 가득 채우는 물질의 상태이다.

핵심개념 6 공기의 무게

(1) **페트병에 공기 주입 마개로 공기를 넣어 무게 측정하기**

공기 주입 마개를 누르기 전	공기 주입 마개를 누른 후
46.9g	47.5g
	공기 주입 마개 누르기

(2) **공기의 무게**: 공기처럼 대부분의 기체는 눈에 보이지 않지만, 고체나 액체와 같이 무게가 있다.

---

1 다음은 물과 공기를 손으로 전달하면서 느낀 차이점입니다. ( ) 안에 들어갈 말을 각각 쓰시오.

> (㉠)은/는 만질 수 있고 눈에 보이지만, (㉡)은/는 눈에 보이지 않고 전달하는 느낌이 나지 않는다.

㉠ ( ), ㉡ ( )

2 나무 막대, 플라스틱 막대를 이루는 물질과 같이 담는 그릇이 바뀌어도 모양과 부피가 일정한 물질의 상태를 무엇이라고 하는지 쓰시오.

( )

3 다음 중 우유와 같은 상태의 물질을 모두 골라 ○표 하시오.

> 흙, 식초, 책상, 간장, 공기, 지우개, 바닷물

4 다음 중 바닥에 구멍이 뚫리지 않은 플라스틱 컵을 뒤집어 물에 띄운 페트병 뚜껑을 덮어 누른 모습으로 알맞은 것의 기호를 쓰시오.

( )

5 다음 중 공기의 성질에 대한 설명으로 옳은 것은 ○표, 옳지 않은 것은 ×표 하시오.

(1) 공기는 공간을 차지한다. ( )

(2) 공기는 다른 곳으로 이동할 수 있다.

( )

(3) 공기는 눈에 보이지 않기 때문에 무게가 없다.

( )

5 소리의 성질

핵심 개념 ① 물체에서 소리가 날 때의 공통점

(1) 물체에서 소리가 날 때의 특징

① 소리를 내면서 목에 손을 대 보면 떨림이 느껴진다.

② 소리가 나는 스피커에 손을 대 보면 떨림이 느껴진다.

③ 소리가 나는 소리굽쇠를 물에 대 보면 소리굽쇠의 떨림 때문에 물이 튀어 오른다.

(2) 물체에서 소리가 날 때의 공통점: 물체가 떨린다.

핵심 개념 ② 소리의 세기

(1) **작은북으로 소리의 세기 비교하기:** 작은북 위에 좁쌀을 올려놓고 작은북을 북채로 약하게 칠 때와 세게 칠 때 좁쌀이 튀어 오르는 모습을 비교한다.

작은북을 약하게 칠 때	작은북을 세게 칠 때
•북이 작게 떨리고, 좁쌀이 낮게 튀어 오른다. •작은 소리가 난다.	•북이 크게 떨리고, 좁쌀이 높게 튀어 오른다. •큰 소리가 난다.

(2) **소리의 세기**

① 소리의 크고 작은 정도를 소리의 세기라고 한다.

② 물체가 떨리는 크기에 따라 소리의 크기가 달라진다.

(3) **우리 주위의 작은 소리와 큰 소리**

작은 소리	큰 소리
•도서관에서 친구와 이야기하는 소리 •아기에게 자장가를 불러 주는 소리	•체육 대회에서 응원하는 소리 •멀리 있는 친구를 부르는 소리

핵심 개념 ③ 소리의 높낮이

(1) **악기를 이용해 소리의 높낮이 비교하기**

팬 플루트	실로폰
가장 짧은 관 ── 가장 긴 관	가장 짧은 음판 ── 가장 긴 음판
관의 길이가 짧을수록 높은 소리가 나고, 관의 길이가 길수록 낮은 소리가 난다.	음판의 길이가 짧을수록 높은 소리가 나고, 음판의 길이가 길수록 낮은 소리가 난다.

(2) **소리의 높낮이**

① 소리의 높고 낮은 정도를 소리의 높낮이라고 한다.

② 팬 플루트는 관의 길이에 따라, 실로폰은 음판의 길이에 따라 소리의 높낮이가 달라진다.

(3) **우리 생활에서 높은 소리를 이용하는 예**

① 수영장에서 호루라기로 위험을 알린다.

② 화재 경보기는 요란한 소리로 불이 난 것을 알린다.

핵심 개념 ④ 소리의 전달

(1) **여러 가지 물질을 통해 소리 전달하기**

책상에 귀를 대고 책상 두드리는 소리 듣기	물속에서 소리가 나는 스피커 찾기
책상을 통해 소리가 전달된다.	플라스틱 관 ── 스피커 물, 플라스틱 관, 관 속의 공기를 통해 소리가 전달된다.

(2) **소리의 전달**

① 소리는 물질을 통해 전달된다.

② 우리가 듣는 대부분의 소리는 공기를 통해 전달되고, 고체나 액체를 통해서도 전달된다.

(3) **실 전화기**

① 실 전화기는 실의 떨림으로 소리가 전달된다.

② 실이 짧을수록, 실이 팽팽할수록, 실이 두꺼울수록 실 전화기의 소리가 잘 들린다.

▲ 실 전화기

핵심 개념 ⑤ **소리의 반사**

(1) **여러 가지 물체를 이용해 스피커의 소리 듣기**

| ▲ 아무것도 들지 않고 소리 듣기 | ▲ 나무판을 들고 소리 듣기 | ▲ 스타이로폼판을 들고 소리 듣기 |

➡ 소리가 크게 들리는 순서: **2** > **3** > **1**

(2) **소리의 반사**

① 소리가 나아가다가 물체에 부딪쳐 되돌아오는 성질을 소리의 반사라고 한다.

② 소리는 딱딱한 물체에서는 잘 반사되고, 부드러운 물체에서는 잘 반사되지 않는다.

(3) **우리 생활에서 소리가 반사되는 경우**

① 산이나 동굴에서 메아리가 들린다.

② 목욕탕이나 텅 빈 체육관에서 소리가 울린다.

핵심 개념 ⑥ **우리 주변의 소음**

(1) **소음:** 사람의 기분을 좋지 않게 만들거나 건강을 해칠 수 있는 시끄러운 소리를 말한다.

(2) **소음을 줄이는 방법**

소음	소음을 줄이는 방법
자동차 소리	방음벽을 설치해 소음을 도로 쪽으로 반사시킨다.
스피커 소리	스피커 소리의 세기를 줄인다.
음악실 소리	음악실 벽면에 소리가 잘 전달되지 않는 물질을 붙인다.
굴착기 소리	공사장 주변에 방음벽을 설치해 소음이 방음벽 밖으로 나오지 않도록 반사시킨다.

↪정답과 해설 **23**쪽

1 다음 중 더 큰 소리가 날 때의 모습으로 옳은 것에 ○표 하시오.

(1) 좁쌀 (2) 좁쌀

(   )   (   )

2 다음 실로폰의 ㉠~㉢ 중 가장 높은 소리를 내는 음판을 골라 기호를 쓰시오.

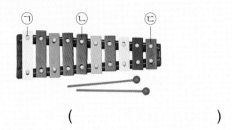
㉠   ㉡   ㉢

(   )

3 소리의 전달에 대해 <u>잘못</u> 말한 사람의 이름을 쓰시오.

> • 은범: 실 전화기를 만들어 친구와 이야기할 수 있는 것은 실로 소리가 전달되기 때문이야.
> • 태주: 물속에서는 소리가 전달되지 않기 때문에 수영을 할 때 아무 소리도 들을 수 없어.
> • 마음: 옆에서 이야기하는 친구의 목소리는 공기를 통해 전달되어 내가 들을 수 있는 거야.

(   )

4 소리가 나아가다가 물체에 부딪쳐 되돌아오는 성질을 무엇이라고 합니까? (   )

① 소리의 세기   ② 소리의 반사
③ 소리의 전달   ④ 소리의 높낮이

5 사람의 기분을 좋지 않게 만들거나 건강을 해칠 수 있는 시끄러운 소리를 무엇이라고 하는지 쓰시오.

(   )

비주얼 사이언스

12쪽 참고 **다양한 환경에서 사는 동물**

지구에는 숲, 사막, 강, 바다, 땅속 등 다양한 환경에서 많은 동물들이 살고 있다.

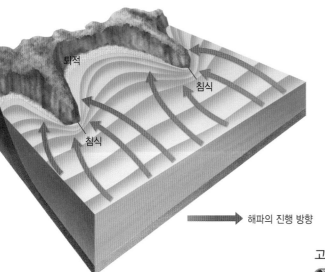

퇴적

침식

침식

→ 해파의 진행 방향

 15쪽 참고 ## 바닷물에 의한 침식 작용과 퇴적 작용

파도가 세게 치는 바닷가의 돌출된 부분은 침식 작용이 활발하고, 상대적으로 파도가 세게 치지 않는 육지 쪽으로 들어간 부분은 퇴적 작용이 활발하다.

고체

- 모양: 일정하다.
- 부피: 일정하다.
- 입자 배열: 규칙적이다.

액체

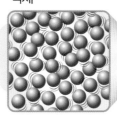 

- 모양: 일정하지 않다.
- 부피: 일정하다.
- 입자 배열: 고체보다 불규칙하다.

 16쪽 참고 ## 물질의 세 가지 상태

우리 주변에는 다양한 물질이 있으며, 이 물질들은 고체, 액체, 기체의 세 가지 상태로 구분할 수 있다.

기체

- 모양: 일정하지 않다.
- 부피: 일정하지 않다.
- 입자 배열: 매우 불규칙하다.

18쪽 참고 ## 소리의 전달 과정

물체의 떨림으로 발생한 진동이 공기를 통해 귀의 고막을 진동시키면 소리를 들을 수 있다.

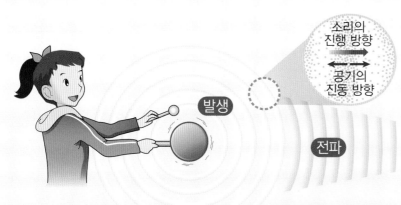

발생

소리의 진행 방향

공기의 진동 방향

전파

감지

고막

 정답과 해설 **1학기**

1 과학자는 어떻게 탐구할까요? ~ **2** 물질의 성질

핵심 문제   3쪽

1 관찰   **2** 무게, 길이   **3** 나무
4 (1) ㉡ (2) ㉠ (3) ㉢   **5** 서준

1 탐구 대상의 특징을 자세히 살펴보는 것은 관찰입니다.
2 탐구 과정에서 탐구하고자 하는 대상의 무게, 길이, 시간, 온도 등을 재는 것을 측정이라고 합니다. 길이를 측정할 때는 자, 무게는 저울, 시간은 시계, 온도는 온도계를 사용합니다.
3 나무는 금속보다 가볍고, 고유한 향과 무늬가 있습니다.
4 자전거의 각 부분은 다양한 물질로 만듭니다.
  • 손잡이: 고무나 플라스틱으로 만들어 부드럽고 미끄러지지 않습니다.
  • 몸체: 금속으로 만들어 잘 부러지지 않고, 튼튼합니다.
  • 안장: 가죽이나 플라스틱으로 만들어 질기고 부드럽습니다.
  • 체인: 금속으로 만들어 튼튼하고, 큰 힘에도 잘 견딥니다.
  • 타이어: 고무로 만들어 충격을 흡수하고, 탄력이 있습니다.
5 종이컵은 싸고 가벼워 손쉽게 사용할 수 있습니다. 유리컵은 투명하여 무엇이 들어 있는지 쉽게 알 수 있으며, 금속 컵은 잘 깨지지 않고 튼튼합니다.

3 동물의 한살이

핵심 문제   5쪽

1 ③   **2** ㉠ 가슴 ㉡ 세(3) ㉢ 두(2)
3 벌, 개미, 사슴벌레   **4** 은아   **5** (1) ○

1 배추흰나비 애벌레의 몸은 여러 개의 마디로 되어 있고 자라는 동안 4번 허물을 벗으며 30 mm 정도까지 자랍니다.
2 배추흰나비의 몸은 머리, 가슴, 배의 세 부분으로 구분할 수 있고, 가슴에는 날개 두 쌍과 다리 세 쌍이 있습니다.
3 곤충의 한살이는 번데기 단계를 거치는 완전 탈바꿈, 번데기 단계를 거치지 않는 불완전 탈바꿈이 있습니다.
4 병아리는 솜털로 덮여 있습니다. 알은 단단한 껍데기에 싸여 있습니다.
5 새끼를 낳는 동물은 젖을 먹여 새끼를 기르며, 몸이 털이나 가죽으로 덮여 있습니다. 새끼와 어미의 모습이 많이 닮았습니다.

4 자석의 이용

핵심 문제   7쪽

1 ㉠   **2** 북쪽과 남쪽   **3** (1) ○   **4** ㉡   **5** ㉠

1 자석을 철로 된 물체에 가까이 가져가면 철로 된 물체는 자석에 끌려옵니다. 자석을 실에 매달아 자석보다 무거운 철로 된 물체에 가까이 가져가면 자석이 물체에 끌려가서 붙습니다. 자석과 철로 된 물체는 서로 끌어당깁니다.
2 물에 띄운 막대자석은 일정한 방향을 가리킵니다. 막대자석의 N극은 북쪽을 가리키고, S극은 남쪽을 가리킵니다.
3 자석의 같은 극끼리는 서로 밀어 내는 힘이 작용하므로, S극과 S극을 마주 보게 하여 가까이 하면 서로 밀어 냅니다.
4 막대자석을 나침반에 가까이 가져가면 나침반 바늘이 막대자석에 끌려와 자석의 극을 가리키고, 막대자석을 나침반에서 멀어지게 하면 나침반 바늘이 원래 가리키던 방향으로 돌아갑니다. 막대자석의 S극을 나침반에 가까이 가져가면 나침반 바늘의 N극이 끌려옵니다.
5 막대자석 주위에 나침반을 놓으면 나침반 바늘의 N극은 막대자석의 S극을 가리키고, 나침반 바늘의 S극은 막대자석의 N극을 가리킵니다.

5 지구의 모습

핵심 문제   9쪽

1 ㉢   **2** (2) ○   **3** 준석
4 (1) (달의) 바다 (2) (달의) 충돌 구덩이   **5** ③, ④

1 바다는 육지보다 넓고 바닷물은 육지의 물보다 짜지만, 바다에도 다양한 생물이 살고 있습니다.
2 지구에 공기가 없다면 어떤 생물도 살 수 없습니다. 바람이 불지 않을 것이고, 구름이 없고 비도 오지 않을 것입니다.
3 마젤란 탐험대가 스페인(에스파냐)에서 출발하여 한 방향으로만 계속 항해하여 세계 일주 끝에 출발한 곳으로 다시 돌아올 수 있었던 것은 지구가 둥글기 때문입니다.
4 달 표면의 어두운 곳을 달의 바다라고 합니다. 달 표면의 크고 작은 구덩이는 우주 공간을 떠돌던 돌덩이 등이 달 표면에 부딪혀 생긴 충돌 구덩이입니다.
5 달에는 물과 공기가 없고, 온도가 적당하지 않아 생물이 살 수 없습니다.

정답과 **해설** **2학기**

① 재미있는 나의 탐구 ~ ② 동물의 생활

핵심 문제 13쪽

1 (2) ○ **2** ㉠ 탐구 계획 ㉡ 탐구 결과 **3** 지방
4 ㉠, ㉡ **5** 까치, 참새

1 수업 시간에 배운 내용과 우리 생활에서 관찰한 것 중에서 궁금했던 것을 한 가지 골라 탐구 문제로 정합니다.

2 탐구 과정은 '탐구 문제 정하기, 탐구 계획 세우기, 탐구 실행하기, 탐구 결과 발표하기'의 과정을 따릅니다.

3 낙타의 긴 다리와 넓은 발바닥 등도 사막에서 살기에 유리한 특징입니다.

4 물고기는 아가미가 있어서 물속에서 숨을 쉴 수 있으며, 지느러미가 있고 몸이 부드러운 곡선 형태라 헤엄을 잘 칠 수 있습니다.

5 날아다니는 동물은 날개가 있어 날아다닐 수 있습니다. 몸이 깃털로 덮여 있고, 한 쌍의 다리가 있는 것은 새입니다. 나비, 매미, 잠자리는 곤충입니다.

③ 지표의 변화

핵심 문제 15쪽

1 흙 **2** 대한 **3** 부식물 **4** ㉠
5 (1) 상류 (2) 하류 (3) 상류 (4) 하류

1 오랜 시간에 걸쳐 물이나 나무뿌리 등에 의해서 바위나 돌이 작게 부서지고, 작게 부서진 알갱이와 생물이 썩어 생긴 물질들이 섞여서 흙이 됩니다.

2 운동장 흙은 화단 흙에 비하여 색깔이 밝고, 알갱이의 크기가 큽니다. 운동장 흙은 만지면 거칠고, 화단 흙은 약간 부드럽습니다.

3 부식물은 식물의 뿌리나 죽은 곤충, 나뭇잎 조각 등이 썩은 것을 말합니다. 부식물은 식물에게 영양분이 되므로 부식물이 많은 흙에서 식물이 잘 자랍니다.

4 흐르는 물이 흙 언덕 위쪽의 흙을 깎고 운반하여 아래쪽에 쌓습니다.

5 강의 상류는 강폭이 좁고, 경사가 급하며, 침식 작용이 활발합니다. 강의 하류는 강폭이 넓고, 경사가 완만하며, 퇴적 작용이 활발합니다.

④ 물질의 상태

핵심 문제 17쪽

1 ㉠ 물 ㉡ 공기 **2** 고체 **3** 식초, 간장, 바닷물
4 ㉠ **5** (1) ○ (2) ○ (3) ×

1 물은 만질 수 있고 눈에 보이지만, 공기는 눈에 보이지 않고 전달하는 느낌이 나지 않습니다.

2 나무 막대, 플라스틱 막대를 이루는 물질과 같이 담는 그릇이 바뀌어도 모양과 부피가 일정한 물질의 상태를 고체라고 합니다.

3 우유, 식초, 간장, 바닷물 등과 같이 담는 그릇에 따라 모양은 변하지만 부피는 변하지 않는 물질의 상태를 액체라고 합니다. 흙, 책상, 지우개는 고체이며, 공기는 기체입니다.

4 바닥에 구멍이 뚫리지 않은 플라스틱 컵을 뒤집어 물 위에 띄운 페트병 뚜껑을 덮어 누르면 페트병 뚜껑이 바닥으로 내려가고, 수조 안 물의 높이가 조금 높아집니다. 바닥에 구멍이 뚫린 플라스틱 컵으로 덮어 누르면 페트병 뚜껑이 그대로 있고, 수조 안 물의 높이에 변화가 없습니다. 이 실험을 통해 공기는 공간(부피)을 차지한다는 것을 알 수 있습니다.

5 공기는 공간을 차지하고, 다른 곳으로 이동할 수 있으며, 무게가 있습니다.

⑤ 소리의 성질

핵심 문제 19쪽

1 (1) ○ **2** ㉢ **3** 태주 **4** ② **5** 소음

1 작은북 위에 좁쌀을 올려놓고 작은북을 북채로 세게 치면 북이 크게 떨려 좁쌀이 높게 튀어 오르고, 큰 소리가 납니다. 작은북을 약하게 치면 북이 작게 떨려 좁쌀이 낮게 튀어 오르고, 작은 소리가 납니다.

2 실로폰 음판의 길이가 짧을수록 높은 소리가 나고, 음판의 길이가 길수록 낮은 소리가 납니다.

3 우리가 듣는 대부분의 소리는 공기를 통해 전달됩니다. 소리는 나무나 철과 같은 고체, 물과 같은 액체를 통해서도 전달됩니다.

4 소리가 나아가다가 물체에 부딪쳐 되돌아오는 성질을 소리의 반사라고 합니다.

5 우리 주변에는 사람이 많은 곳에서 나는 소리, 공장이나 공사장에서 나는 소리 등 많은 소음이 있습니다.

Where there is a will,
there is a way.